Sumário

Alegria, *3*
Brincadeira, *4*
Presente, *5*
Dia de festa, *6*
Xadrez, *8*
Gente-de-fora-vem, *9*
Historieta, *10*
Surpresa, *12*
Tucano-de-bico-verde, *14*
Conversa, *15*
Boa noite, *16*

Oleiro, *18*
Confusão, *19*
Viagem, *20*
Teimosia, *22*
Encontro, *23*
Esconde-esconde, *24*
Bom dia, *26*
Fatalidade, *27*
Boas maneiras, *28*
Recompensa, *30*
Empecilho, *31*

Alegria

O patinho
amarelo
saiu do ovo
de manhã cedinho.

– Que tudo é belo
que tudo é novo –
gritou o patinho.

Que bom que vai ser
brincar
e correr
com outros
do meu tamanho,
mostrar
que sou pato
e ir ao regato
tomar banho.

Brincadeira

O esquilo diz ao coelho
a quem faz muitas partidas:
– Você já se viu ao espelho?
Mas que orelhas tão compridas!

– Amanhã, vindo da escola,
eu lhe trago uma cartola.

– Meu caro, muito obrigado –
responde o outro – eu não digo,
pois sou coelho educado,
o que penso do amigo...
Mas, se dissesse, diria:
– Um rabo assim enrolado
é francamente mania!

– Eu vou gastar dez tostões
para lhe dar uns calções.

Pôs-se o coelho a pular
riu o esquilo às gargalhadas
e lá foram passear
como dois bons camaradas.

Presente

A girafa deu
ao seu
marido
no dia
de Natal
um lenço
colorido
de seda natural.

Que alegria!
– disse o marido –
ponha a pata
nesta pata,
com um pescoço
tão comprido
você não podia
ter-me comprado
uma gravata.

Dia de festa

A floresta
acordada
pela madrugada
de um dia
de festa
abria
a saia rodada
e a madrugada
sorria
sorria à floresta
na madrugada
da festa.

A alegria
estava lá,
a poesia
estava lá,
mas onde estava a alegria
mas onde estava a poesia
só sabia
o sabiá.

Só o sabiá
sabia
sabia
o que havia
lá
– era um sábio o sabiá.

Dono
do dia
da festa
e dono
da madrugada
só por ele a floresta
despertada
do seu sono
abria
a saia rodada.

E tudo o que lá
havia,
e tudo que havia
lá, que se chamasse alegria
que se chamasse poesia
só sabia
o sabiá.

Ouçam como ele assobia,
assobia
o sabiá.

Xadrez

É branca a gata gatinha
é branca como a farinha.

É preto o gato gatão
é preto como o carvão.

E os filhos, gatos gatinhos,
são todos aos quadradinhos.

Os quadradinhos branquinhos
fazem lembrar mãe gatinha
que é branca como a farinha.
Os quadradinhos pretinhos
fazem lembrar pai gatão
que é preto como o carvão.

Se é branca a gata gatinha
e é preto o gato gatão,
como é que são os gatinhos?

Os gatinhos eles são,
são todos aos quadradinhos.

Gente-de-fora-vem

Entre os pássaros que tem
o Brasil tem o tem-tem
e tem também, também tem
o gente-de-fora-vem.

Quando o viajante vem
ele diz bom-dia e é quem
tem palavrinhas de bem
o gente-de-fora-vem.

Aqui mesmo, ou mais além,
sempre espera por alguém,
pois não há caminho sem
o gente-de-fora-vem.

Um encontro a cada hora
cada estrada sempre tem
– a gente que vem de fora
e o gente-de-fora-vem.

Historieta

Era uma vez
uma cabrinha-
-montês
que tinha
tinha
um rabinho
curtinho
e quando saltava
o rabinho abanava
e girava
girava
o rabinho
curtinho...

Por isso eu chamava
chamava a cabrinha
a cabrinha-montês:

– Rabinho, rabinho
de ventoinha...

E a cabrinha gostava
e o rabinho girava
e toda a gente chamava
chamava a cabrinha
rabinho, rabinho
de ventoinha.

Era uma vez,
era uma vez
uma cabrinha-
-montês.

Surpresa

O navio apitou,
apitou o navio,
o marinheiro correu,
correu e tropeçou.
Tropeçou o marinheiro
e o cachimbo caiu
caiu no canteiro.
O marinheiro não viu
e o cachimbo perdeu
mas não perdeu
o navio.

Pobre marinheiro no alto-mar
sem cachimbo para cachimbar.

Um colibri
que passava por ali
pensou:
– Que belo cachimbinho
para a Senhora Colibri
fazer um ninho.

Um golpe de asa
e o cachimbo foi ninho,
o cachimbo foi casa,
foi casa feliz
cheia de colibris.

O marinheiro
voltou.
Encontrou o canteiro
e o cachimbo encontrou
e nele pegou,
pegou
o marinheiro.

Tão alegre o marinheiro no alto-mar
com um cachimbo para cachimbar.
E o cachimbo partiu,

partiu do canteiro,
e o marinheiro
partiu,
partiu o navio,
partiu o marinheiro.

E no alto-mar
ele quis fumar,
ele quis cachimbar,
ele quis
ele quis...

Mas do cachimbo saíram a voar
um colibri,
    dois colibris,
        três colibris.

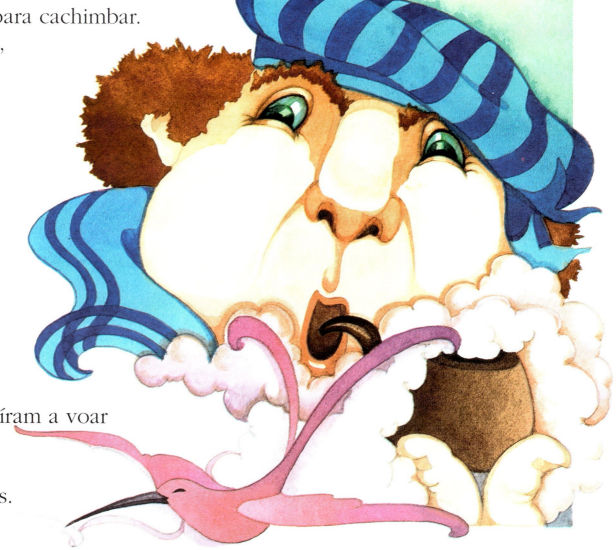

Tucano-de-bico-verde

Tucano eu sou,

tucano eu fico,
se gostou
ou não gostou
do tamanho
do meu bico.

Mudá-lo seria engano
pois um tucano tem bico
tem um bico
de tucano.

E se encurtam o seu bico
fica o bico do tucano
igual
ao do tico-tico
e é normal
que cada qual
seja senhor do seu bico.

Conversa

Quando um tatu
encontra outro tatu
tratam-se por tu:

– Como estás tu,
tatu?

– Eu estou bem e tu,
tatu?

Essa conversa gaguejada
ainda é mais engraçada:

– Como estás tu,
ta-ta, ta-ta,
tatu?

– Eu estou bem e tu,
ta-ta, ta-ta,
tatu?

Digo isto para brincar
pois nunca vi
um ta, ta-ta,
tatu
gaguejar.

Boa noite

A zebra quis
ir passear
mas a infeliz
foi para a cama

– teve que se deitar
porque estava de pijama.

Oleiro

Eu sou um pássaro
chamado João,
oleiro
de profissão.

Gosto do barro.
Trabalho com ele,
componho com ele,
construo com ele
e a ele me agarro.
Eu sou o pássaro
João de Barro.

E todos me chamam
João, João,
oleiro de profissão.

Se quiser eu faço
um palhaço
de barro,
ou se preferir
e quiser conduzir
eu farei um carro.

Farei um palhaço
ou farei um carro
mas com tudo o que faço
– de barro.

De barro,
para o menino,
um palhaço
ou carro
eu faço
e assino:

Confusão

Atrás de um monte de feno
um burro
pequeno.
Passam as ovelhas
mas só ouvem um zurro
e só veem as orelhas.

Umas orelhas
sem burro
– dizem as ovelhas –
é mais raro que um burro
sem orelhas.

Mas o zurro
do burro
faz tremer as orelhas.
São as orelhas
de um zurro
– pensam as ovelhas –
do zurro
de um burro
que só tem orelhas.

Viagem

De uma casquinha de noz
de cinzento pintada
sai a voz
bem afinada
da formiga
que canta
canta
esta cantiga:

– Quando o Senhor Vento
assoprar,
o meu barquinho cinzento
vai navegar.

Barquinho cinzento
cinzento ele é
mas coisa engraçada
tem a chaminé
de vermelho pintada.

Tem a chaminé
de vermelho pintada
o barco cinzento
que vai navegar
quando o Senhor Vento
assoprar.

Meu barquinho
em duas cores
carregadinho
de flores.

Depois
a formiga calou-se
e o barquinho partiu
como a cantiga doce
o barquinho seguiu,
seguiu
nas ondas do mar,

– se você o viu
faça o favor de telefonar.

Teimosia

Em cima de um muro
verde
um papagaio verde
verde
como o muro
não é claro
nem escuro.

Mas é claro
que o sol bate no muro.

E o muro diz ao papagaio:

– Raio
que o Sol é duro
e quente
quente
o dia inteiro
ó, minha gente!
(era um muro brasileiro).

– Papagaio desgraçado
abra a sombrinha
se ficar torrado
não é culpa minha.

E o papagaio respondeu:
– Eu, abaixo-assinado,
perdão, eu, papagaio verde,
vou continuar
onde me vê,
em cima de você,
muro verde,
verde muro,
até ficar
maduro.

Encontro

Um cardeal
viu-se ao espelho
e gritou maravilhado:
– Que lindo capuz vermelho
que possui este animal,
se não é um cardeal
está muito bem imitado.
É provável, afinal,
que eu já o tenha encontrado
no quintal
ou no telhado,
mas um cardeal
no espelho
é bem mais original,
é muito mais cardeal,
– que lindo capuz vermelho
tem no espelho
o cardeal!

Esconde-esconde

Um pássaro que desperta
e que foge do ninho
uma janela aberta
e um garotinho.

Todas estas coisas divertidas
jogam às escondidas.

Fingiu o ninho
que era a flor amarela
e o garotinho
saiu da janela
e porque a janela
era pequenina
ele
só fechou a cortina.

Mas o pássaro vem
e descobre o ninho
e descobre também
o garotinho.
E quanto à janela,
como a cortina
a cobre,
ele puxa a cortina
e a janela descobre.

E o pássaro sorri
à flor amarela,
bem te vi ninho,
bem te vi janela,
bem te vi garotinho!

E ninguém se espanta
e toda a gente ri
e o pássaro canta:

Bem-te-vi
Bem-te-vi
Bem-te-vi.

Bom dia

Quando o Sol se escondeu
a menina nuvem preta
apareceu
e fez uma careta.

Choveu.

A água que caiu
encheu
o tanque vazio.

Um pardal e uma andorinha
vieram
e beberam
a água fresquinha.

Depois o Sol voltou
e disse quando entrou
no quintal:

– Bom dia, Senhora Andorinha;
– Bom dia, Senhor Pardal.

Fatalidade

Eu conheci um peru
nascido no Peru
num dia
de sol
que dizia
glu-glu
com um sotaque espanhol.

É de criticar
ouvir castanholas
e pensar
pensar
em caçarolas.

Tudo acontece
um dia
mas se não houvesse
Natais
haveria
perus a mais.

Boas maneiras

Muito ao de leve
muito devagar
o peixe-dourado
na areia escreve
um livro de adivinhas
cheio de conchinhas
e estrelas-do-mar.

Começa a bailar
um peixe-malhado
e vem apagar
o que escreve, escreve,
muito ao de leve,
muito devagar,
o peixe-dourado
no fundo do mar.

– Senhor peixe-malhado,
é tão bom bailar
mas por favor deixe
deixe
sossegado
o peixe-
-dourado
no fundo do mar.

Diz o peixe-malhado:
– Queira desculpar
eu não tinha reparado
no peixe-dourado
nem no livro de adivinhas
feito de conchinhas
e estrelas-do-mar.

Recompensa

Voou
por engano
uma flor.
Não sei se voou
um mês
ou se voou
um ano,
mas seja como for
voou uma vez,
duas, três,
uma flor.

Entrou
na escola
e descansou
na sacola
preta
preta
do menino branco
que estava no banco
e lhe chamou
borboleta.

E a borboleta
para agradecer
abriu a sacola
e ajudou o menino a fazer
os exercícios da escola.

Empecilho

Um elefante
tem que ter atenção,
é um bicho gigante
não cabe na televisão.

Se esticam sua pele
parece um balão.
Deitado no papel
é um grande borrão.

E se você julga
que parece mal
falar assim deste animal,
pode pôr uma pulga
como ponto-final.

Sidónio Muralha, um poeta viajante português, chegou ao Brasil depois de ter vivido na África e escolheu Curitiba para morar. Talvez por causa de uma loira bela.

Aqui ele continuou a escrever prosa e poesia, para grandes e pequenos, e contos de humor e *nonsense*. *O trem chegou atrasado*, *Sete cavalos na berlinda*, *A revolta dos guarda-chuvas* e *Os três cachimbos* são quatro desses contos publicados pela Global.

Um homem que lutava por suas ideias e amava a natureza, Sidónio faleceu em 1982.

Cláudia Scatamacchia é paulistana e neta de imigrantes italianos que vieram para o Brasil no começo do século XX. Eram "um escultor, um sapateiro e duas costureiras, ofícios que exigem habilidade manual, disciplina, criatividade e muita persistência. Herança que uniu meus pais e chegou a mim na forma de paixão e ofício, o desenho".

Estudou Comunicação Visual, pintou móveis, lenços de cabeça, painéis decorativos, criou logotipos, quadrinhos, cartazes e estampas para tecidos. E começou a ilustrar livros e matérias para jornais e revistas, criando imagens, interpretações que ampliam o prazer de ler.

"Gosto de desenhar. De reinventar a linha, de revigorar o traço, de perseguir as sombras, de buscar as luzes, de saborear as cores."